Mis

med de

blå

øjne

(ROMAN)

Mis med de blå øjne

© Egon Mathiesen 1961.

2. udgave, 8. oplag

Bogen er sat med Times

Trykt hos Nørhaven Book A/S

Printed in Denmark 2001

ISBN 87-01-54431-4

MIS

med de blå øjne

Tegninger og tekst

af

Egon Mathiesen

GYLDENDAL

1.

KAPITEL

En lille Mis med blå øjne
og godt humør
gik engang ud i verden
for at finde landet
med de mange mus.

Den der kom til det land
ville aldrig mangle føde,
så Mis travede glad afsted.

Først kom han til en sø,
hvor en fisk stak hovedet op.
Mis spurgte, hvor landet
med de mange mus lå.

Men fisken grinede højt,
da den så de blå øjne,
og slog et slag med halen,
så Mis blev helt våd.

»Nå, skidt med det,« sagde Mis og travede videre,

»en fisk kan jo ikke vide alt.«

På vejen fangede han en flue og en flue er altid bedre, end ingenting.

2.

KAPITEL

Lidt efter kom han til et stort hul.
»Mon ikke det er indgangen
til landet med de mange mus?«
tænkte Mis.

Og han gik lige ind i mørket. Kun hans egne to blå øjne lyste op.

Men pludselig så han to øjne, der var meget større, end hans egne.

Og han sprang ud af hullet
og fik aldrig at vide,
hvad det var for et dyr,
der boede derinde.

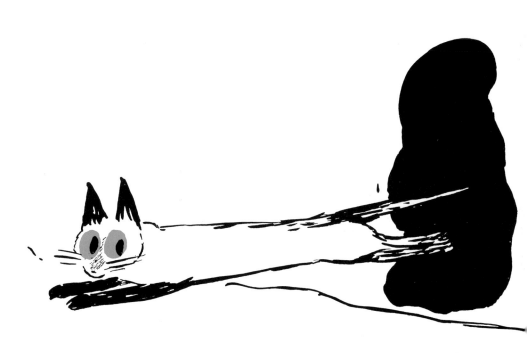

»Nå skidt med det,« sagde Mis
og travede videre,
»jeg træffer nok en anden,
jeg kan spørge.«

Denne gang fangede han kun en lille myg.
Men det er også bedre end ingenting.

3.

KAPITEL

Som han bedst gik
puslede det inde i kornet.
»Måske er det en mus,«
tænkte Mis.

Næ, det var et lille pindsvin.
»Men pindsvin kan jo også
lide mus,« tænkte Mis.
»Så her kan jeg nok få at vide,
hvor landet ligger.«

Men så snart pindsvinet så
hans blå øjne,
rullede det sig sammen som en kugle
Ham kunne Mis ikke
få et ord ud af. Det var tydeligt nok
Så han travede videre.

Denne gang fangede han kun
en lille bladlus,
der var så fedtet,
at han ikke kunne få den af sin pote
Den var næsten værre end ingenting.

4.

KAPITEL

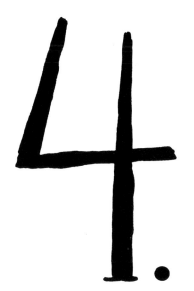

Det begyndte at blive nat
og Mis gik og drømte dejligt
om landet med de mange mus.
Pludselig hørte han
en masse katte mjave.

»Her er landet,« sagde han,
»så mange katte bor kun,
hvor der er mange mus.«
Og han sprang ind i mørket,
hvor lyden kom fra.

I den sorte nat så han
ti gule øjne lyse.
»Er det her landet med de
mange mus?« mjavede han glad.
Men kattene med de gule øjne
svarede bare:
»Mjav-v-v, han har blå øjne.«

Så kom der ikke en lyd mere den nat.
Og alle kattene lukkede øjnene.

Men da det blev dag
sad der fem katte
med gule øjne
og kiggede på Mis, der havde spurgt
efter landet med de mange mus.

»Det har vi også ledt efter,« grinede de.

»Og så tror du, at du kan finde det med dine blå øjne.«

»Det kan jo være de har ret,«
tænkte Mis og gned sig bag øret.
»Det findes måske slet ikke.«
Og så blev han hos kattene
med de gule øjne.

5.

KAPITEL

»Jeg tror jeg vil lave
lidt sjov,« tænkte Mis en dag,
»for har man ikke andet,
så har man da sit go'e humør.«

Han tog et par solbriller på næsen
og slog krølle på halen.
Men de andre syntes ikke
det var sjovt.
»Du har blå øjne,« sagde de,
»vi kan godt se det,
og rigtige katte har gule øjne.«

Den lille Mis gik hen til
et vandhul og spejlede sig.
Han kunne ikke se,
det var grimt med blå øjne
eller, at han ikke var en rigtig kat.

Han blev så glad, at han sprang hjem
til de andre
for at fortælle dem,
at de havde taget ordentlig fejl.

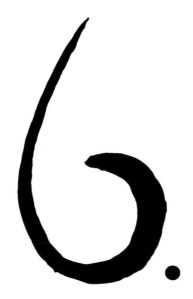

6.

KAPITEL

Men da han kom hjem sad de allesammen
oppe i et højt træ
og rystede af skræk.
En mægtig hund var efter dem
og de råbte ned til Mis
med de blå øjne:
»Fjern den hund!«

Hvad skulle han gøre?
Hvordan fjerner en lille mis
en stor hund?
Han lagde sig ned
for at tænke over det.

Men VOV! lød det
som et tordenskrald,
og Mis fløj højt op i luften
af skræk.

Da han kom ned igen,
landede han på hundens ryg
og borede kløerne i
for ikke at falde af.

Hunden sprang afsted
i rygende fart
op ad bakke

og ned ad bakke

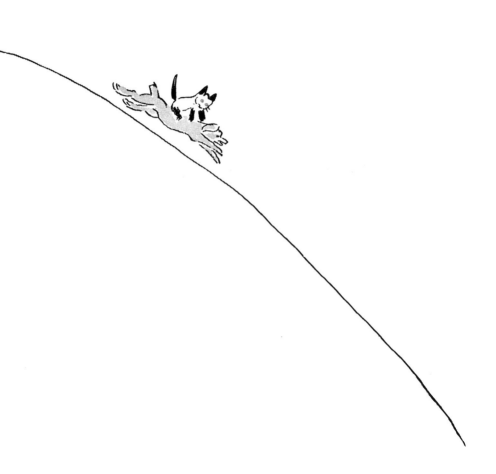

og op ad bakke

og ned ad bakke

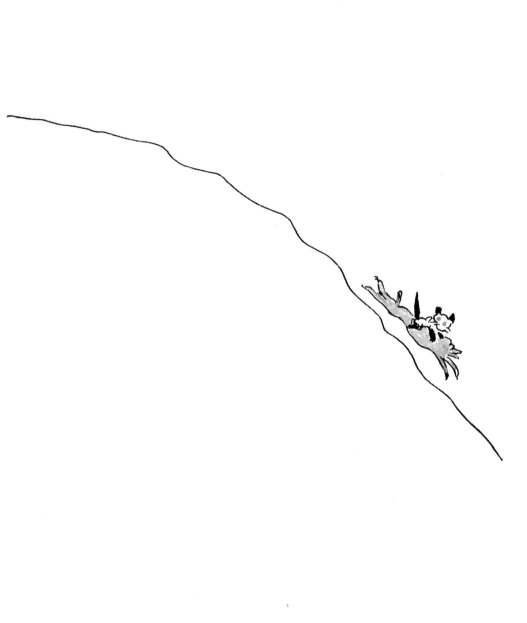

og op ad bakke

og ned ad bakke

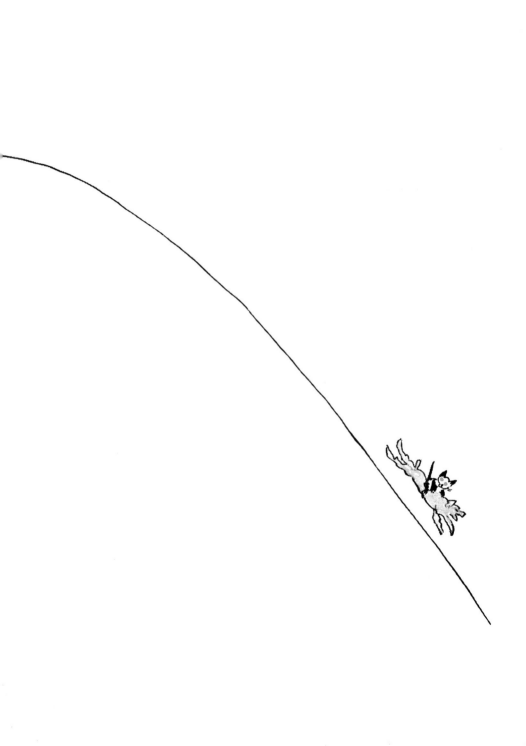

og så kunne hunden ikke mere.
Mis hoppede ned
og hvad så han?

En mark fuld af huller,
og, op af hullerne tittede der
små mus:
Mis var kommet til landet
med de mange mus.

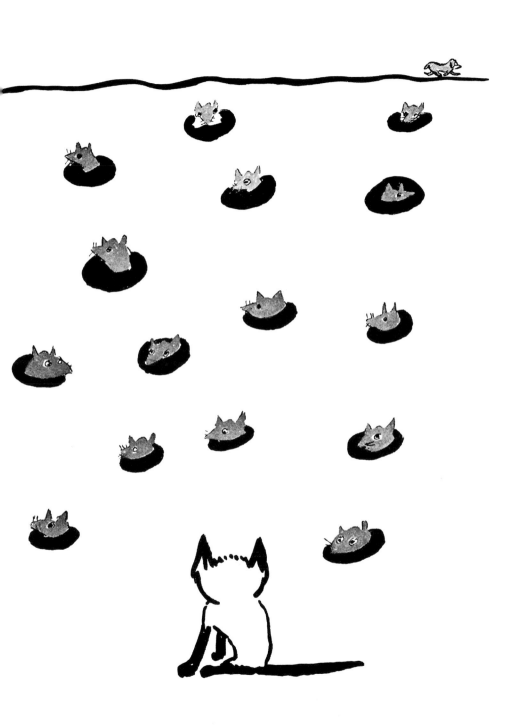

Og Mis gik på jagt
til han både blev
tyk og rund.

7.

KAPITEL

Så vendte han tilbage til kattene
med de gule øjne,
der havde siddet så længe i træet
og rystet,
at de var blevet tynde og magre.
»Hvor er hunden?« mjavede de.

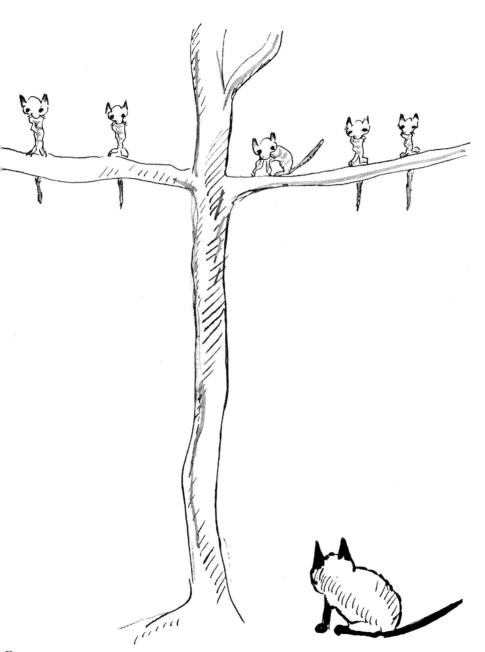

»Væk,« sagde Mis.
»Å, du med dine blå øjne,« sagde de.

»Jeg har blå øjne,« sagde Mis,
»det er rigtigt,
men blå øjne kan også se,
og jeg har set landet med
de mange mus.«

»Lad os da gå med og se efter,«
sagde kattene.
»Men hvis det ikke passer,
kradser vi de blå øjne ud på dig.«

Så luntede de efter Mis,
op
og ned
ad alle bakkerne.

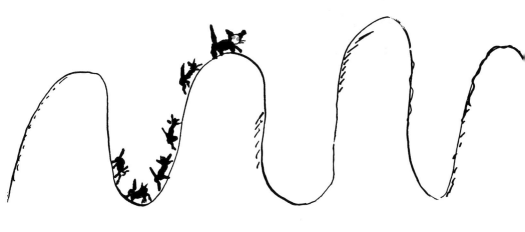

Og sikken en hoppen
og springen, der blev, da de nåede
marken med de mange musehuller.
Her var jo det land,
de selv havde ledt efter.

Og da de havde sprunget rundt
i mange dage og nætter
og endelig var blevet tykke igen,
lagde de sig ned
ved siden af Mis og mjavede:
»Tak for mus, gode Mis.
Vi har fundet ud af,
at du er en kat ligesom vi,
der kan være sulten og sjov
og tynd og tyk,
finde marker med mus
og se ligesom vi,
selvom øjnene er blå.«